MW00781253

DOMANDO AL MONSTRUO

Raúl José Hernández Gorrochotegui

RAJOZGUI

DOMANDO AL MONSTRUO

Mi lucha contra el cáncer

EDITORIAL
LETRA MINÚSCULA

Primera edición: febrero de 2024
ISBN: 978-84-10245-56-3
Copyright © 2024 Raúl José Hernández Gorrochotegui RAJOZGUI
Editado por Editorial Letra Minúscula
www.letraminuscula.com
contacto@letraminuscula.com

Para ti, Sandra...

La apaciguadora, la amorosa, la pacificadora, la conciliadora, la perseverante domadora de quimeras y la que logró lo imposible en mi vida...

ÍNDICE

POEMAS DEL ALMA

He sentido ganas de dormir y no despertar, liberarme así de un miedo atroz, interminable.

He deseado que mi mundo se apagara de golpe, para acallar preguntas sin respuestas.

He visto cómo de golpe se escapaba el mañana, quedando tan solo un presente frío e incierto.

He llorado a escondidas mi desesperanza, incapaz de hallar una razón para seguir luchando.

Me he encontrado de puntillas al borde del abismo, sintiendo el frío aliento de la bestia en mi nuca.

Hasta que... unas amorosas manos acariciaron mis dudas, tornando la incertidumbre en serena paz.

Despertando energías, espabilando razones.

Ahora… me he mirado al espejo de la verdad con rabia y he dicho adiós a las lágrimas desangeladas, a la tristeza, al desconsuelo, al sin vivir.

Ahora… van quedando atrás los momentos oscuros, sombríos y ante mi aparece la ilusión, la tranquilidad.

Ahora… sé que una rama del árbol se ha roto, con la savia de la voluntad haremos brotar mil más.

Ahora… quiero saborear cada segundo de mi existencia y dormir con ese regusto a la vida en el paladar.

Hasta que… el inocente y cálido sonido de unas voces infantiles removieron las fuerzas que anidan en mi interior.

Hasta que… la dulce melodía del cariño llegó a mis oídos…

Autor: Ramón Merino

PRÓLOGO

San Antonio de Los Altos, Miranda, Venezuela
Octubre de 2023

Vuelve al ruedo de las letras Raúl José Hernández Gorrochotegui, RAJOZGUI. Escritor, poeta, cuentista, humorista, fabulista y amante de las tertulias filosóficas y amenas, al mejor estilo de *"la belle époque"*, como cuando Hemingway, Picasso, F. Scott Fitzgerald, Dalí, etc., se reunían en las tabernas parisinas a "lamerse" las heridas e intercambiar añoranzas, frustraciones y dolores, como para darse luces unos a otros. Nuestro amigo en las andanzas, "en las buenas y en las malas", regresa para dejarnos un testimonio de la vida real, narrado con sencillez y crudeza y sin tomar atajos, viviendo un día a la vez, para recordarnos lo efímero de la vida, siempre esta tan circunstancial. Aquella lucha feroz de los seres humanos contra el cambio, la impermanencia y la muerte…

13

Radicado en Valencia, España, lugar a donde decidió emigrar, tras sufrir un breve cautiverio como preso político de una férrea dictadura latinoamericana, el autor vuelve por sus fueros afinando la pluma y las ideas, aferrándose a las letras como antídotos del mal para "moros y cristianos" y para él mismo, sin pruritos ni temores de morir en el intento...

Con su particular lema personal de: "nada es pa' tanto", el autor de la anterior obra *Cuatro vidas de escapes*, se muestra desnudo ante el mundo, plasmando entre sus páginas el miedo y la incertidumbre, pero también la alegría y la esperanza, anteponiendo la fe y la valentía a los avatares de la vida, al sufrimiento y a la enfermedad.

Bienvenidos los que sufren los "pinchazos" de la vida y afrontan el sufrimiento y los que no, mantengámonos alertas, pues nadie es inmune.

El sufrimiento existe, tiene causa, pero también un camino que conduce a su final, la escritura es uno de ellos y tal vez, ¿por qué no? el lector sea un paciente que sane a través de ella...

Larga vida al escritor...!

J. J. ZURITA

Un día cualquiera, del año 2023, comencé a sentirme extraño... Sí... raro... Como indiferente a todo lo que me rodeaba y un tanto apático con las rutinas y costumbres habituales del día a día.

Mi ánimo, mi energía y las ganas de hacer cosas, iban y venían, como esas gaviotas que a diario merodeaban en el cielo azul, que extasiado observaba desde mi hermosa terraza, en las coloridas tardes primaverales valencianas.

Notaba que había perdido algunos kilos y en principio lo atribuía a una dieta de "ayuno intermitente" a la que me estaba sometiendo y pensando que estaba haciendo buen efecto, aunque observaba, con cierta preocupación, cómo mi musculatura, al pasar de los días, se tornaba más flácida y blanda y mi piel muy arrugada.

Estaba perdiendo masa muscular y además muy rápidamente.

La debilidad se apoderaba de mí en algunos momentos del día, alternándose con anormales episodios de frialdad en las manos y pies. Trataba de no alarmarme y de restarle importancia a esas señales que el cuerpo reiteradamente me iba mostrando y hacía todo lo posible por ignorarlas. Mi cuerpo se expresaba de ese modo, tratando de alertarme de que algo no andaba bien, mientras mi mente, "la que todo lo sabe", minimizaba esas señales, restándoles importancia.

Unos episodios frecuentes de diarrea y estreñimiento, que venía arrastrando desde hacía unos meses atrás, me sugerían en silencio, que algo andaba mal.

Mientras el cuerpo iba hablando e insinuaba cosas, la mente analizaba y desestimaba cualquier alarma, por muy pequeña que fuera, convirtiéndola en simple conjetura.

Sabía en el fondo que algo dañino estaba sucediendo dentro de mí y realmente temía enfrentarme a esa sospecha. El miedo, como dicen por allí, es libre y eventualmente puede llegar a paralizarnos y como consecuencia de no accionar.

La mente es impresionantemente presumida y petulante. Todo lo sabe y todo lo exagera. Te envuelve suave pero constante y te va llevando diligentemente por caminos truculentos y espeluznantes, donde tiene la facultad de lograr alejarte de la realidad tanto para bien como para mal. Aprendí que no hay que dejarla correr ni que tome el control de tu destino...

Hay que escucharla, sí, pero sabiendo que es una especie de conciencia embrujadoramente juguetona, lógica y traviesa, cuya percepción y entendimiento actúa bajo una enmarañada y enredada arma de doble filo, que te dice y te sugiere cosas, que es difícil de blandir, que te da con todo, sin compasión y que por tanto debemos aprender a interpretarla, desentrañarla y empuñarla a nuestro favor.

En contraposición a ella, a la mente, contamos con un extraordinario e innato muro de contención, que está compuesto por nuestros sentimientos, nuestros instintos naturales y nuestras emociones que, en resumen, no son más que nuestro ser, nuestra esencia y nuestro yo verdadero y que si aprendemos a resguardarnos tras él y utilizarlo a nuestro favor, podría convertirse en el sistema de defensa más eficaz que tenemos si le damos el protagonismo que merece. Escudémonos tras él, que no es esconder ni ocultar los hechos y dejémoslo, sin prejuicios ni obstinaciones, actuar en esos determinados momentos en que el raciocinio automático e inmediato de la mente y los arrobamientos que ella predispone, nos quite la calma, la serenidad, la lucidez y la claridad que necesitamos para enfrentar y superar sanamente los obstáculos que se nos vayan presentando.

Apelar a ellos, al ser, a los sentimientos, al espíritu, a nuestra esencia, a lo que verdaderamente somos, es la mayor de las sensateces en momentos duros y difíciles, porque es allí, en esa especie de arca mística, contenedora de querencias, devociones y percepciones, donde debemos tratar de enfocar y anclar nuestros pensamientos, para poco a poco desarrollar la capacidad de hurgar en ellos y finalmente darles su verdadero sitio y valor.

La mente te alerta y el espíritu te relaja. Mente vs. Espíritu. Allí está la verdadera lucha.

En ese cajón de afectividades y sensibilidades, por decirlo de alguna manera, tenemos que canalizar los embates de la mente, cargados de estrictos racionamientos científicos y contrastarlos con lo que nos dicen nuestras corazonadas, nuestros instintos y nuestras emociones, que no son más que mensajes de nuestro espíritu y que sí o sí, terminarán desembocando en el restaurador y renovador ser interior que tanto necesitamos.

Es allí, en ese breve balanceo interno entre la razón y el espíritu, donde podremos buscar la armonía, la aceptación y el conocimiento de lo que padecemos y que nos ayudará a enfrentar con gallardía, dignidad y verdadera actitud positiva todas las dificultades que se nos van presentando.

Tenía un año de haber llegado a España, con mi esposa e hijo.

Un país maravilloso y hermoso que nos abrió solidariamente las puertas de la esperanza, ya que veníamos, como muchos, huyendo de la destrucción, del saqueo y la ruina de nuestro amado país.

A mis 65 años, había dejado atrás prácticamente todo. Cosas materiales como inmuebles, muebles y pertenencias, que en definitiva no tenían costo alguno en comparación al valor de los afectos, apegos, familia, amistades, aficiones y querencias que quedaron en aquel camino andado y que siempre estarán allí, dando vueltas en nuestro yo individual, ocultos y atesorados en el más recóndito e insondable rincón de los buenos, inolvidables y gratos recuerdos.

La impermanencia, esa palabra que nos habla de que todo está en continuo cambio y que nada es para siempre, juega un papel muy importante en los momentos cruciales de nuestra vida.

Lo permanente a veces aburre, desgasta y se hace invivible, entonces debemos buscar salidas, aire, oxígeno, oportunidades y tratar de escapar de esa especie de vorágine interna que nos consume poco a poco y no nos permite divisar que a lo lejos, en el horizonte, sí hay una posibilidad cierta de cambiar nuestras vidas y salir adelante.

Nosotros, mi familia y yo, no nos quedamos atrapados en la nostalgia del inmigrante. Esa añoranza melancólica e inútil que solo produce dolor, desesperanza y frustración.

Rápidamente nos lanzamos al ruedo, a la nueva y prometedora realidad y más temprano que tarde, aunque con muchas dudas, limitaciones y las necesarias y obvias restricciones que conlleva el emigrar, logramos establecernos en el tiempo, conseguir trabajo, legalizarnos y sentir que estábamos haciendo lo que correspondía. Las dificultades y carencias por las que tenemos que pasar al principio de nuestra cruzada ante ese gran desierto que se nos presenta, no son más que lecciones de las que tenemos que aprender y sobrellevar para llegar al oasis que anhelamos y que está ahí más cerca de lo que pensamos.

La tarea o la misión de vida que tenemos es convencer a un mundo, la más de las veces incrédulo, de que sí hay vida plena, que sí podemos cumplir metas, que sí hay luz en el horizonte y pequeñas ventanitas y puertas que se abren tras los naturales e inevitables fracasos y convencernos a nosotros mismos de que sí se puede...

A nuestro alrededor observamos gente que la está pasando mal y gente a quienes les va de maravilla. Como todo en esta vida, cada circunstancia es individual y diferente. Cada experiencia es única y muy personal y la nuestra ha sido muy grata, fructífera y benevolente, por lo que damos infinitas gracias al Dios en el que creemos.

Muchísimas personas nos han tendido la mano. Nuestra actitud, nuestra fe, nuestra humildad, nuestra capacidad de adaptación y nuestras ganas de trabajar y perseverar, nos encauzaron por el camino correcto y en pocos meses, con esfuerzo, logramos asentarnos en un cómodo y hermoso piso y comenzar a disfrutar de la calidad de vida que vinimos a buscar y que el país en general nos ofrecía.

Vivir en España y sobre todo en una ciudad tan hermosa, apacible, plena de luz y de cordialidad como Valencia es verdaderamente un privilegio.

Tenemos sol la mayor parte del año, playas hermosas y dispuestas a atender al visitante, montañas increíblemente bellas, pueblitos aledaños y paisajes acogedores, cada uno más primoroso y maravilloso que el otro, una gastronomía espectacular y que satisface a todos los gustos y paladares, por muy exigentes que sean.

Una ciudad para vivirla, disfrutarla y que propicia una atmosfera emocional ideal donde poder encontrar la paz y armonía necesarias para serenar y apaciguar los demonios que conviven en cada uno de nosotros.

En tan poco tiempo hemos hecho amistades nuevas, tanto de paisanos venezolanos como de españoles en general. Puedo decir a viva voz que tengo amigos españoles. Nos comunicamos al menos una vez a la semana y estamos mutuamente pendientes los unos de los otros. Nos contamos nuestras cosas, nuestras vivencias y nos aconsejamos solidaria y naturalmente en la medida que sea necesaria.

También hemos experimentado y roto el paradigma de que la gran comunidad de conciudadanos y coterráneos somos indiferentes, apáticos y despreocupados entre nosotros mismos.

Hemos recibido afectos y solidaridades realmente inesperadas. Nos ayudamos mutuamente, tanto así que somos como una gran familia que, agradecidos por estar viviendo en este maravilloso país, nos apoyamos y caminamos juntos buscando ese futuro prometedor y seguro que imaginamos al llegar aquí, con una maleta cargada de sueños, ilusiones y esperanzas que, sin duda alguna, se harán realidad. Venimos de un país que lo tiene todo. Riquezas naturales, playas hermosísimas, montañas nevadas, desiertos impresionantes, sabanas infinitas, cataratas enormes, paisajes alucinantes y sobre todo gente sencilla, alegre, emprendedora, con una mezcla de razas única, pero que lamentablemente cayó en desgracia por la avidez, codicia y ambición de unos gobernantes que truncaron su crecimiento y la sumieron en la pobreza y la desventura.

En mi niñez y adolescencia, jamás imagine que algún día lo dejaría todo y emigraría a otro país buscando lo que alguna vez tuve y disfruté.

Éramos una familia de clase media conformada por cuatro hermanos, tres varones y una hembra, criados por una valerosa madre y una no menos gallarda y esforzada abuela. Tuvimos una infancia feliz y nunca nos faltó nada.

En esa época mi país se encaminaba hacia el primer mundo. Recibimos, sin animadversión ni resquemores a cientos de miles de inmigrantes y refugiados, sobre todo españoles, italianos y portugueses, que escapaban de la precariedad y la pobreza en la que estaban sumidos como consecuencia de guerras civiles y gobiernos dictatoriales.

Esa gran diversidad de nacionalidades, dio como resultado una mezcla de razas multicolores importante, hermosa y única.

Contradictoriamente, el inusitado colapso político, económico y social de Venezuela, por todos conocido, devino en una migración masiva e inesperada.

Millones de compatriotas huimos del país hacia diferentes rumbos. Nosotros escogimos España por muchos factores, entre ellos el nexo de antepasados españoles que nos une y en mi caso el ascendente sefardí que está en mi sangre. Como dije, no es fácil desprenderse de recuerdos y añoranzas. Hay que ser muy valiente para tomar la decisión de emigrar, pero de eso, de valentía, de esfuerzo, de desprendimiento de cosas materiales y de mucho coraje, sí que teníamos un largo expediente mi esposa y yo.

De librar batallas gigantescas, de ogros disfrazados de deudas, de engendros de mil cabezas que se presentan como adalides de una justicia que aun está a años luz de conseguirse y de leviatanes inteligentemente camuflados en falsas legalidades, que saltan de juicio en juicio, de tribunal en tribunal perturbando nuestra paz y tranquilidad, teníamos un largo recorrido y los habíamos enfrentado con verdadero estoicismo, dándoles pelea y derrotándolos, así como David, el débil y pequeño venció a Goliat, el feroz gigante, nosotros estamos curtidos y tenemos una gran y larga experiencia en ello. De ahí mi lema: Nada es pa' tanto...

Mi familia, que lógicamente estaba enterada de las molestias físicas que venía padeciendo, muy discretamente me presionó para que finalmente accediera a ir al médico y así lo hice.

Accedí a la Atención primaria de la Seguridad Social española, que es verdaderamente extraordinaria y tecnológicamente avanzada.

En principio me atendieron muy bien, tuve una cita con mi médico de cabecera quien ordenó hacerme una analítica (examen de sangre).

La doctora, luego de un par de citas, no encontró nada fuera de lo normal y me sugirió una dieta sana, que abandonara el ayuno intermitente que estaba haciendo y que estuviera pendiente de sangre o cualquier otra irregularidad en las deposiciones.

Al cabo de unas semanas el estreñimiento tomó el protagonismo.

Me costaba evacuar diariamente y la pérdida de peso continuaba junto al cansancio y a la debilidad, que ya se hacían evidentes y notorios.

Siguieron las molestias estomacales y acudí nuevamente a una cita con mi doctora. Esa vez me prescribió de inmediato un examen denominado SOH (Sangre Oculta en Heces). Luego de realizado el examen y al cabo de unos días ella me llamó notificándome que había dado positivo en ese estudio. Eso me cayó considerablemente mal, porque muy en el fondo de mi ser corroboraba el mal presentimiento que rondaba por mi cabeza día y noche. La mente encendía las alarmas... Sabía que algo malo merodeaba en mis entrañas y erróneamente me lo callaba sin compartirlo con nadie.

El siguiente paso fue ir al hospital y entrar por Urgencias, ya que el estreñimiento continuaba y tenía el temor de obstruirme y no poder evacuar.

Una vez que me vieron los médicos y corroboraron por medio del sistema computarizado mi historial e inmediatamente procedieron a hospitalizarme, con el fin de hacerme todos los estudios correspondientes para descartar o confirmar sospechas.

Tras tres largos días en un hospital de primera categoría y con una tecnología de primer mundo, una joven médico residente entró a mi habitación, que compartía con otro paciente y me dio un primer diagnostico, por llamarlo de alguna manera, que destrozó literalmente mi corazón y nubló mi entendimiento.

Cáncer. Mi mundo, literalmente, se vino abajo...

Su cara lo decía todo. No eran buenas noticias. Ella tomó una hoja de papel y dibujó, sin muchos detalles, el intestino grueso y seguidamente me informó que tenía dos tumores grandes en el colon. Uno benigno, a pesar de su tamaño, muy cerca del ano, de unos cinco centímetros aproximadamente y otro maligno en el sigmoides, que está después del colon descendiente y antes del recto, de unos cuatro centímetros de diámetro. Ambos solo dejaban cinco milímetros para que pasaran las deposiciones.

Mi mente trataba de distraerme dramatizando la gravedad del diagnostico. Cáncer = inutilidad = dependencia = sufrimiento = dolor = muerte, así actúa ella, mientras mi corazón, mi espíritu, mi alma y mi ser, con tierna voz dulce y angelical trataban de animarme y decirme que todo iba a estar bien. Que nada es pa' tanto, que hay gente e instituciones buscando tratamientos y medicaciones para erradicar esa terrible enfermedad. Que hay un alto porcentaje de enfermos que claudican, pero que también existe un porcentaje respetable de remisión. En fin, es así como, constantemente, interactúan la mente y el espíritu. La primera te encara y arguye escenarios catastróficos y adversos, mientras que el otro te alienta y trata de reconfortarte.

Por mi perturbada y convulsionada mente solo sobrevenían pasajes lúgubres, tétricos y penosos, aunados a soluciones y desenlaces trágicos y fatales.

Buscaba en Internet información que la mayoría de las veces no está sustentada en la realidad y me impresionaba cuán rápido fluían pensamientos incoherentes y contradictorios que giraban alrededor de una muerte forzosa, segura e inminente. ¿Qué va a pasar con mi familia…?, me preguntaba. ¿Qué va a ser de mi esposa e hijos…? No quiero dejarlos solos, me decía.

El bombardeo de pensamientos negativos era despiadado e inclemente. El futuro oscuro que inmediatamente se me presentaba, colisionaba de frente contra mi proyecto de vida y me hacía dudar de todo, hasta de mí mismo y la famosa frase interrogativa de "¿por qué a mi…?" no paraba de atormentarme.

En definitiva, un cáncer estadio IV, con metástasis hepática, retroperitoneal y pulmonar era un anuncio verdaderamente demoledor.

No podía esperar una noticia más espantosa, pavorosa y aterradora que esa. Prácticamente, para mí era una sentencia de muerte, entregada por el hospital y recibida por el condenado como una nefasta y funesta "Constancia de Notificación Mortuoria". De aquí, directo al paredón, pensaba. Cosas como esas pasaban inexorablemente por mi mente en ese momento.

Nunca se está preparado para tan terrible suceso. La mente te aturde, te confunde y te desconcierta. No entiendes nada e intentas desconectarte de algún modo de la realidad y ves pero no miras, oyes pero no escuchas y hablas sin decir nada. Tratas de disimular tu reacción y de aparentar una hipócrita calma que no delate el miedo, la incertidumbre, las dudas y la turbación que estas experimentando y finges ante la gente y ante ti mismo que tienes el control de tus emociones.

Nada más falso y lejos de la realidad que eso, mientras no permitas que tu espíritu y tu ser tomen las riendas.

Estaba a nada de entrar en pánico. No sabía qué decir. Sobraban las palabras y mi mente no le daba oportunidad alguna al espíritu. Ella iba a cien por hora presentándome diferentes situaciones. Pensaba: Dios mío... ¿será un sueño? ¿Es verdad? ¿Me está ocurriendo a mí? Y no tenía tiempo ni voluntad de conectarme conmigo mismo, con mi ser, con mi espíritu, con mis creencias.

No era capaz de organizar el tablero de ajedrez que con un "jaque al rey" acababa de desparramarse frente a mi aturdimiento.

Necesitaba estar solo para tratar de confrontarme y pensar...

Al rato, mientras mi esposa y yo silenciosamente tratábamos de darnos ánimo con miradas mojadas y pucheros contenidos, casualmente, para mí, dieron de alta a mi compañero de habitación y, de alguna manera, entendí que el universo entero había conspirado para que tuviese la oportunidad de pasar solo esa noche, con mi aterradora situación, con mis desvaríos internos y con mis sentimientos encontrados.

Mi adorada esposa, que me conocía más que nadie en el mundo y que entendía la gravedad de la situación, muy hábilmente buscó una excusa para satisfacer mi deseo de estar solo.

Sus ojos llorosos como un inmenso dique contenían un mar de lagrimas difícilmente disimulables, manifestaban sin hablar el profundo y gran amor que me tenía.

Las mascarillas no podían disimular nuestras tristezas y esa mezcla de incredulidad y asombro ante la bomba que minutos antes había caído y estallado en mi vida y por ende en nuestras vidas, era inocultable.

Nos despedimos esa noche con un abrazo inmenso, infinito y eterno. Ella se iba a casa con su pena y aflicción y yo me quedaba en el hospital con mi espantosa, oscura y triste realidad.

Ese gesto suyo me llenó de dolor e impotencia por no saber qué decirle ni cómo consolarla. No iba a ser fácil para mí y tampoco para ella. Me repetía a mí mismo que ella no merecía mi padecimiento ni mi preocupación. La descomunal pesadumbre que me arropaba debía ser solo mía. No veía por qué tendría que compartirla. No era justo para ella ni para mi familia. El pesado bulto que tenía que cargar era mío y quien tendría que pensar en cómo y cuándo dar la pelea o no era yo. Aun así el silencio cómplice de dos personas que se aman lo decía todo.

Esa noche, obviamente, no pude conciliar el sueño. A ratos lloraba como un niño desconsolado, sintiendo que el agua de la vida se me escapaba por las rendijas de los dedos de mis manos.

Se paseaban por mi cabeza imágenes de mi esposa, de mis hijos, de mis nietos, de mis hermanos, de mi fallecida madre y extrañas mezclas de sentimientos de rabia, ira e impotencia cortaban mi llanto de raíz y daban paso a pensamientos de culpa, de dudas, de rabia, de cuestionamientos, de interrogantes y de incredulidad.

El "¿por qué a mí?" seguía siendo inevitable y recurrente...

Luego de horas de cavilaciones, especulaciones, introspecciones y pensamientos turbulentos, quise escribir lo que en ese momento estaba sintiendo. Tenía la necesidad de hacerlo y abrí mi móvil en notas y plasmé allí lo que pasaba por mi mente en tercera persona y que me hostigaba:

Por fuera, él parecía límpido, fresco (a pesar de su edad), arrollador y rozagante, como si el tiempo se hubiese detenido en sus facciones evitando el paso de los años.

Solo unos largos brochazos blancos sobre el fondo negro de su cabellera teñían de un gris plata su imaginativa cabeza.

Era alto y erguido, como los pinos que bailan al viento meciéndose y rozándose unos a otros en un rítmico y apasionado baile eterno.

Era alegre como las aves playeras que juegan con la brisa y las salpicaduras de las olas del mar, subiendo y bajando a placer y mojándose entre sí, con el estruendoso batido de sus alas.

Siempre salió victorioso de los avatares de la vida...

Creía que volar era su destino. Se imaginaba surcando, libre, los confines sutiles y etéreos de su fantástico porvenir y presumía que más temprano que tarde ese sueño suyo se convertiría en realidad...

Era confiado, quizás demasiado, tranquilo y sereno... como si la larga vida que él creía que le esperaba nunca fuera a acabar.

Pero un día, la fatalidad, la providencia, la vida, Dios o llámese como se llame, el rector del universo entero y de todo lo que allí confluye, hacedor y destructor de suertes, venturas y casualidades, despiadadamente le reveló bruscamente que había otros planes muy distintos para él y así, de pronto, en un abrir y cerrar de ojos, supo que su vida estaba seriamente comprometida...

Intuía que se encontraba en una espantosa encrucijada. Planes, proyectos, propósitos, objetivos e intenciones comenzaron a desfilar uno a uno por el filo de una bien templada hoja de acero, rebanándose en finas y transparentes lonjas de desengaños, frustraciones y desilusiones.

Nunca pensó que en esa etapa de su existencia, cuando solo quedaba disfrutarla y deleitarse con la satisfacción del camino bien, regular o malamente recorrido, tuviera que luchar contra ese tipo de monstruo endemoniado, por ella, por la vida misma...

Ya sabía que algo dañino y pernicioso habitaba en sus entrañas y que crecía lenta, ineludible y despiadadamente.

Esa desagradable sensación de tener un cuerpo extraño, pérfido y perverso alimentándose de él cual parasito vividor, desgastándolo y consumiéndolo, no lo dejaba en paz.

¿Cómo digerir eso?

¿Cómo asimilarlo?

¿Cómo manejar la rabia, la impotencia, la culpa?

¿Por qué a él?

¿Cómo haría para no sentirse frágil, vulnerable, precario y afectado ante un ataque repentino y agresivo a su salud y, en definitiva, a su vida?

¿Cómo no caer derrotado ante ese monstruo burlón y desalmado, que pretendía destruirle sin compasión?

¿Cómo mantener a raya a los fantasmas que día a día revolotearían por su mente, atormentándolo, agobiándolo y aturdiendo sus pensamientos?

¿Cómo no sentir aversión hacia aparatos clínicos, insensibles robots mecánicos que van directo a invadir, por sus partes íntimas, cualquier órgano y víscera que se interponga en su camino, con esos blancos y feos brazos de hierro y con aquellos sonidos graves y agudos que espantan y trastornan sus malogrados sentidos, alternándose con lucecitas rojas, anaranjadas y verdes que titilan cual luciérnagas distractoras de la inminente invasión?

¿Cómo admitir y aceptar que a pesar de tanto y de todo, nunca, nunca, nunca, él estuvo *preparado para vivir eso y así? ¿Cómo afrontar que un monstruo, en forma de tumor maligno y adherido a sus vísceras, iba a acabar con su vida?*

Al día siguiente, temprano, sin haber podido dormir, en la rutinaria realidad del día a día, traté de digerir y comprender aquel terrible escenario, pero me era muy difícil, casi que imposible. No tenía herramientas para manejarlo ni estaba preparado para tan radical cambio de vida que se me venía encima a mí y a mi entorno familiar. Tenía que manejar bien el arte del disimulo y el fingimiento.

Intenté definir lo que es el cáncer y llegué ligeramente a la conclusión de que es una terrible, aterradora y espantosa enfermedad y que siempre les da a otras personas...

La sola palabra cáncer es espantosamente desgarradora. Es una de las palabras más temidas e intimidantes que pueda existir. El cáncer, para la gran mayoría de las personas, es sinónimo de dolor, deterioro físico y mental, disminución de capacidades, pérdida de facultades, mengua, desmejoramiento, pasar a ser una carga familiar y ciudadana y finalmente muerte...

Para quienes lo padecemos es enfrentarse a diario y cara a cara con él, con el único fin de seguir viviendo.

Todos obviamente sabemos que algún día moriremos y no sabemos cómo ni de qué, pero tener en tus manos el pronunciamiento científico, la sentencia efectiva e irrefutable, es sencillamente espeluznante.

Es en esa etapa, en los días posteriores al diagnóstico cuando comienza la verdadera lucha, que no es contra esa escalofriante realidad, sino contra uno mismo.

Es en estos primeros días cuando la mente, la sabelotodo, la sabionda impertinente, la presentadora de escenarios a veces irreales, ficticios y desesperanzadores, empieza a tratar de relacionar todo lo que ocurre en tu cuerpo, con la enfermedad generando sentimientos de culpa y fallas o errores que jamás existieron.

A mi modo de ver, ningún cáncer es culpa de quien lo padece o, mejor dicho, nadie es culpable de desarrollar un cáncer.

Hay gente que fuma y no tiene cáncer de pulmón, mientras que otros que nunca lo han hecho lo desarrollan.

Las células cancerosas simplemente están allí, solo esperando las condiciones biológicas o el momento oportuno, para repentinamente aparecer y comenzar a reproducirse indiscriminada e incontrolablemente, alterando el funcionamiento de nuestro organismo. El por qué de esto es lo que aún está en investigación. Es así de sencillo. El "no hubiera hecho esto o aquello" no solo no sirve de nada, sino que es una frase terriblemente injusta, inicua, malvada, amén de que no existe. "Cuando te toca, aunque te quites... y cuando no, aunque te pongas...", dice un viejo refrán popular.

La vida y la rutina diaria se hacen inciertas y vacilantes. El no saber a qué te enfrentas ni cómo hacerlo crea un ambiente de incertidumbre total. Sabes que van a inocularte por tus venas un arsenal de fármacos químicos y biológicos, capaces de llevarse por delante células cancerígenas y células buenas y las dudas se convierten en una especie de síndrome, de obsesión y no sabes si serás capaz de resistir tamaña descarga de preparados específicos, pócimas y pociones desconocidas para ti y que tendrán unos efectos secundarios devastadores.

El diagnóstico negativo que padeces, como toda mala noticia, se riega como pólvora entre familiares y amigos y hay que estar preparado para todo tipo de conjeturas, miradas indiscretas, murmullos y cuchicheos impertinentes.

Es notorio el aspecto físico que irremediablemente presentas, bien sea por los estragos naturales que causa el cáncer, como por los recurrentes pensamientos negativos que tu mente manipula o por el duro tratamiento de quimio o radioterapia al que estás sometido.

Entre veredictos sin base científica, de gente que "conoce a alguien que ha pasado por esa circunstancia" y búsquedas

37

de información en Google y otros sitios de Internet que realmente no sirven de mucho, porque te saturas de informaciones la mayoría de las veces confusas y alejadas de la realidad, tuve mi primera cita en Oncología.

En mi caso me atendió una doctora muy joven y agradable, que me informó que junto a otros colegas suyos, formarían una Junta Médica y me manifestarían cuál sería el tratamiento indicado, según mi tipo de cáncer. Algo así como conocer más de él, cómo atacarlo y qué estrategias médicas tomar. Mi esposa y yo estábamos llenos de dudas, imprecisiones y temores. Una a una, la amable doctora fue explicándonoslas y aclarándonoslas. Las preguntas que hacíamos, una tras otra, eran interminables. Necesitábamos saber a qué nos íbamos a enfrentar mi entorno familiar y yo.

Una vez aclaradas ciertas dudas, porque son continuas, y conocido cuál sería el "plan de ataque", fui remitido a cirugía para implantarme en el pecho un catéter, denominado reservorio, que sería por donde me administrarían el tratamiento de quimioterapia.

El reservorio es un dispositivo de aproximadamente una pulgada, por una pulgada, por menos de media pulgada de espesor, que se introduce debajo de la piel por medio de una incisión a la altura del pecho derecho y que contiene una manguerita que, a través de la yugular, va hacia la vena cava superior evitando los frecuentes pinchazos en los brazos y los consecuentes moretones en la piel cuando se va a realizar la administración de quimioterapia y a su vez sirve para realizar las extracciones de sangre, indispensables antes de cada ciclo. Los cirujanos expertos lo colocan en una hora aproximadamente, luego cierran la herida con unos puntos de sutura y se esperan unos días para retirarlos y entonces así comenzar con el tratamiento.

En un principio, el solo hecho de saber que te van a introducir subcutáneamente un aparato extraño, de titanio o de acero inoxidable, con polietileno y que posee en su interior una membrana de silicona o poliuretano, es sencillamente pavoroso.

Al cabo de unos días y ya con el tratamiento en firme, el reservorio no se siente ni molesta para nada. Sí que se ve un bultito y la manguerita que va a la vena cava.

Así las cosas, mi primer ciclo de quimioterapia comenzó rápidamente.

Asistí al hospital junto con mi esposa, un tanto asustado, pero a la vez muy esperanzado porque sabía que ese es el camino correcto para tratar la enfermedad.

Iniciaron el tratamiento con una analítica para saber cómo estaban mis valores sanguíneos, sobre todo mi sistema inmune, o sea, mis defensas.

El personal de enfermería es verdaderamente atento, considerado, respetuoso y muy servicial.

Primero introducen una inyectadora con sueros específicos para limpiar y desinfectar el canal de inducción. La incomodidad del pinchazo depende realmente de "la mano" de cada enfermera o enfermero. Una vez que el oncólogo haya recibido los resultados de la analítica y comprueba que todo está bien ordena el preparado específico de la quimioterapia y comienza el tratamiento.

Primero introducen una serie de medicamentos como sueros, protectores gástricos, etc., y luego colocan parte de la quimioterapia, allí en el hospital, en una sesión de cuatro o cinco horas, para posteriormente ir a casa con un recipiente llamado infusor elastomérico, que es un dispositivo que mediante la presión ejercida por un globo que contiene dentro, a una velocidad constante y segura, administra medicamentos, en esta caso la quimioterapia. Lo colocan para continuar el tratamiento en casa, dentro de un pequeño koala o riñonera (bolso) conectado al reservorio. Este dispositivo descarga lentamente el tratamiento de quimio que toca en casa.

Hay que dormir y hacer vida normal con ese aparato colgando del hombro durante dos días y medio aproximadamente, porque eso es parte fundamental del tratamiento. Los primeros días me quejaba por las molestias que el infusor me causaba y rezongando me refería a él, al dispositivo, cómo "la botellita de m..." u otro nombre despectivo que se me ocurriera en el momento, hasta que mi hermana, que está casada con un italiano, en unos días que paso conmigo de visita, me dijo que lo llamara "Salvatore", porque el contenido de esa botellita sería lo que me ayudaría a combatir y a salir victorioso de esta batalla y así lo hice. "Salvatore" le llamo al infusor.

Esto es apenas el comienzo de un sinfín de incomodidades y molestias que tuve que soportar para continuar hacia adelante en esta carrera de fondo. No tenía otra opción y eso era lo que había que hacer y más nada.

En la sala de tratamientos de quimioterapia del hospital hay sitio para aproximadamente veinte personas. Cada uno con un tratamiento y un jarabe, como yo le digo, único y diferente y con más o menos tiempo de aplicación. Inmediatamente se confraterniza y empatiza con la mayoría de ellos, ya que todos estamos en el mismo juego, por así decirlo. Solo quienes estamos sentados o acostados por varias horas y conectados a diferentes soluciones y vías de infusión, más el tratamiento de quimioterapia en sí, sabemos lo que eso significa.

Las miradas solidarias entre cada uno de nosotros son indescriptibles. Hay unos que se ven mejor físicamente y otros peor, pero todos estamos allí haciendo lo que nos corresponde con la esperanza de erradicar y exterminar el monstruo que habita en nuestras entrañas.

Luego de la primera quimio y sus inevitables efectos secundarios, ya uno sabe a lo que se enfrenta y va conociendo, poco a poco, los protocolos que eso requiere. Conoces a las enfermeras y enfermeros y comienzas a congeniar con ellos.

Aprendes a donde debes dirigirte en el hospital antes de cada tratamiento para que te realicen una analítica y así los oncólogos sepan si estás en condiciones de recibir la quimio. Sabes cómo prepararte para recibir ese "jarabe venenoso sanador" que te hará polvo por unos días, pero que, junto con el nivel de fe, positivismo y actitud que tengas, lograrán el objetivo de recuperar la salud perdida.

Una actitud positiva a la hora de asistir al tratamiento es esencial, al igual que la confianza en los oncólogos y en la medicina moderna, pero la fe en tus creencias, en ese ser superior y todopoderoso que todo lo puede y que refuerza tus esperanzas, hasta el punto de tener la certeza de que saldrás bien librado de la batalla que estás dando, es fundamental.

La confianza y la comunicación sincera que debemos mantener con nuestros oncólogos son esenciales. Tenemos que mantenerlos al tanto de cualquier anomalía o irregularidad que nos suceda, así no esté en la guía o manual de información que nos proporcionan. Solo así podrán ir corrigiendo las dosis de quimio e ir adecuándolas a nuestro tratamiento único y específico.

Los oncólogos atienden a decenas de pacientes cada uno y cada caso es específico, como lo hemos dicho antes. Ellos son extremadamente atentos, considerados, respetuosos y complacientes. Siempre están dispuestos a colaborarnos en la medida de lo posible. Son personas muy humanas y tenemos que saber que están seria y profesionalmente comprometidos con nosotros, como personas y con la enfermedad que padecemos.

Con el inicio del tratamiento comienza el cambio. Dejar a la mente y sus suspicacias a un lado y empezar a darle protagonismo a la medicina de avanzada y paralelamente a nuestro espíritu.

Positivismo, optimismo, fe, ilusión, actitud, confianza, buenas vibras, etc., etc., etc. Esas deben ser las puntas de lanza para debutar en la "obra que nos toca interpretar".

No puedes ir a un juego pensando que vas a perder. No puedes ir a una cita de trabajo suponiendo que no te van a contratar. No puedes ir a un ciclo de quimioterapia creyendo que no eso va a servir de nada.

Hay que adelantarse a la mente y no dejarla que divague y elucubre.

El juego está dentro de uno y hay que jugar adelantado anteponiendo, ante la sagaz y habilidosa mente, todo lo que he manifestado aquí, el ser, los sentimientos, las emociones y sobre todo la fe. Será ella la que tomará las riendas del proceso y la que te dará las fuerzas y la resistencia necesaria para avanzar paso a paso y día a día en el camino y la circunstancia que tocó vivir.

Esas jugadas de "adelantamiento" contra la mente harán que vayas aceptando esos envites, por decirlo de alguna manera, y que vayas adaptándote a las normas del juego. No es fácil tomar la decisión y determinación de hacerlo y ya.

Sentarse, derrotado de antemano, a lamentarse de lo que pudo haber sido y no fue, es huir de la realidad que vives, dándole fuerza a tu mente para que convierta ese "hubiera" en el centro de tus pensamientos.

El "hubiera" no existe, como lo dije antes. Lo que hay es lo que se ha vivido y lo que se vive. No sirve de nada haber tenido un gran pasado, cuando hay un hoy y un futuro por vivir y construir, aun en las terribles circunstancias que estemos padeciendo.

Todos, absolutamente todos, vamos transitando el camino hacia la muerte, sin detenernos a pensar en ello. Así es la vida, aunque parezca un juego de palabras, pero cuando conocemos o vemos a un paciente con cáncer, inmediatamente pensamos que es una persona que está al borde de la muerte, cuando realmente todos, enfermos o no, cada día nos estamos acercando más a ella. Solo hay que saber interpretar si cada día de nuestras vidas es uno más o uno menos.

Millones de personas sanas mueren por accidentes de tránsito todos los días. Existen millones de personas saludables que no están conformes con la vida que llevan y caen en depresiones y adicciones y un día optan por el suicidio, cuando lo contrario, que es la vida, es por lo que otros estamos luchando.

Tenemos que tener mucho cuidado con la depresión. Es verdad que llega sin quererla y sin buscarla y que cualquiera de nosotros está expuesto a sufrirla sin más ni más, pero también es verdad que no debemos abrirle las puertas para que entre.

Apenas comiencen esos pensamientos repetitivos e iterativos, sin control alguno por parte nuestra, tenemos y debemos desviarlos inmediatamente y no dejarlos pasar ni que se instalen, como lo hacen, en nuestra confusa mente. Cada quien debe encontrar el modo de desecharlos y espantarlos y hacer lo posible por distraerse con imágenes mentales acogedoras y recuerdos gratos y bonitos, en la medida que se pueda.

Debemos evitar, a como dé lugar, que ese otro monstruo psíquico tome el control, nos perturbe y nos desconcierte de tal modo que se apodere de nosotros.

Sé que no es nada fácil actuar de inmediato, pero no es imposible. La mente, por más que nos aturda y desvaríe, en definitiva, es nuestra, nos pertenece y por tanto nosotros tenemos que lograr activar el poder que impide que nos domine, que se extienda, que se agrande... y entonces dominarla, sujetarla y someterla a nuestros designios y propósitos. Somos los amos de nuestros juicios. Sí se puede.

Démosle un chance al espíritu y al corazón...

Podemos perder muchas cosas en la vida, el dinero, el trabajo, los bienes materiales, viajes, lujos, etc., pero perder la salud es lo peor y solo lo entendemos cuando esto sucede. Luchar por ello, por la recuperación de la salud y por la vida, con convicción y muchísima fe, debe ser nuestro plan.

No hay mañana, lo que verdaderamente existe es el hoy. Si la vida la percibimos como un juego, juguémoslo, si la vemos como un baile, pues bailemos con ella, si por el contario la vemos con pesimismo, desilusión y desesperanza, entonces, entreguémonos a ellas y renunciemos a vivirla a plenitud.

Siempre podrás ser más fuerte que tu cáncer.

Avocarse a hacer todo lo posible por sanarse es el objetivo y esto puede lograrse equilibrando nuestra mente y nuestro ser. En el fondo, es uno quien decide quién manda. O manda la mente, con sus conceptos rígidos, teóricos, racionales o le damos paso a la espiritualidad colmada de fe, ilusión, fuerza y esperanza. O voy a hacer todo lo que esté a mi alcance para vencer al monstruo o dejo que el monstruo siga creciendo y me destruya. Al colocar estos elementos en una balanza, crearemos un ambiente o un escenario acorde con el modo que propongo de encarar nuestra situación.

La espiritualidad es algo que se siente, que se percibe y sobre todo que se vive.

Es posible que no seamos capaces de sanarnos nosotros mismos al no estar haciendo lo que debemos hacer y lo que tenemos que aportar en esta lucha.

Tal vez queramos que sean otros, llámense médicos, tecnologías avanzadas, las llamadas cadenas de oraciones, etc., quienes hagan el trabajo duro y sostengan la pesada carga que el cáncer deriva, sin ser capaces de soportarla nosotros mismos por cobardes, miedosos, temerosos o incrédulos.

No se trata solamente de tener un entorno familiar que se compadezca de nosotros y que se conduela con nuestro sufrimiento.

Se trata de que ese entorno de familiares y amigos se monte, por así decirlo, con nosotros en el carro de la esperanza, la positividad, el optimismo y la ilusión cierta de que sí se va a poder y de que este trago amargo por el que estamos pasando y esta situación indeseable será una anécdota más entre tantas vicisitudes, cambios y transformaciones que hemos tenido en nuestras vidas y que hemos podido y sabido librar.

¡Soy más fuerte que el cáncer!

¡Estoy haciendo lo correcto para lograr mi sanación!

¡Estoy fortalecido espiritualmente!

Estas sencillas pero poderosas frases, debemos repetírnoslas a cada instante.

No busquemos la música en las nubes. Ella está en los estantes de nuestra casa, en nuestro escritorio de trabajo, en nuestra cama y en nuestra cotidianidad.

Busquemos la sanación en la ciencia, pero también hagamos internamente una especie de "tratamiento espiritual terapéutico" que, junto a aquel tratamiento principal, logre mejorar su efectividad y como consecuencia aumente las posibilidades de éxito.

Eso es actitud. Eso es tener fe. Eso es ser optimistas y eso es tener ganas de seguir viviendo...

Sabemos lo que tenemos, lo que padecemos y lo que dice la ciencia al respecto, pero también sabemos que las actitudes solidarias y positivas, la creencia de que algo o alguien infinitamente superior, creador del universo y de todo lo que en él confluya, pueden tomar el control por medio de la fe y pueden revertir cualquier sentencia o diagnostico que se tenga.

Aunque la realidad es un hilo muy fino del cual penden nuestras esperanzas, no debemos sobrecargarlo con falsas expectativas.

Siempre tiene que haber un cable a tierra que nos confronte con esa realidad de la que hablamos. Saber lo que tenemos y padecemos. Conocer las nuevas tecnologías. Estar abiertos a tratamientos paliativos que no interfieran con nuestro tratamiento y para eso hay que tener una relación muy cercana con nuestros médicos. Informarnos de todo lo que concierna a nuestro tipo de cáncer. Preguntar y no evitar conversaciones al respecto, como si lo que tuviéramos fuera algo contagioso y secreto.

Escuchar testimonios de sanación y remisión siempre nos ayudará, nos animará y nos fortalecerá. Los hay y son más frecuentes de lo que pensamos.

Tenemos que conocer los tipos de medicamentos y fármacos que nos están suministrando y volvernos expertos en la enfermedad que padecemos. Saber cuáles son las expectativas y las estadísticas de sobrevivencia porque, solo así, estaremos involucrados en los procedimientos y en el desarrollo y evolución de nuestra enfermedad.

Como anécdota, les cuento que en una oportunidad le pregunté al oncólogo cuál era mi expectativa de vida. Él, muy discretamente, me dijo que no era el momento de hablar de eso, que había que esperar mi evolución y cómo me iría con el tratamiento. Como insistí en conocer su opinión, me dijo que, sin ser un criterio exacto e inalterable, en mi caso y por mi tipo de cáncer avanzado, estadio IV, según las estadísticas, existía entre un 80 y un 90 % de mortalidad.

Sin inmutarme, porque conozco mucho de mi enfermedad, inmediatamente y muy sutilmente le pregunté si no le parecía que era más provechoso, favorable y benéfico para un paciente en mi condición, decirle que existe más bien, según sus estadísticas, entre un 20 y un 10 % de remisión.

Sorprendido, apacible y sereno y con una afectuosa sonrisa dibujada en su rostro, me dijo que tenía razón y que ese día le había enseñado que siempre, tanto del lado de los médicos o del lado de los pacientes, hay mucho que aprender en este camino.

Yo me quedo con ese 10 o 20 % de vida, me aferro a ello y me anotaré en ese grupo estadístico.

No aceptar lo que tenemos, no admitir la gravedad de lo que padecemos, no reconocer el riesgo que ello representa, no tiene ningún sentido y es simplemente una ingenuidad, por decir lo menos, que raya en la insensatez y en la necedad.

Voltear la cara hacia el otro lado para no ver lo que no se quiere ver es una estupidez enorme que solo traerá decepciones, frustraciones y amarguras, que son sentimientos no compatibles con las energías positivas que debemos tener.

Creo que al definir el largo y duro proceso contra el cáncer y relacionarlo con lo que realmente es, que no es más que una verdadera lucha, una enorme batalla y un verdadero desafío para vencer, no estoy dándole una connotación ni un significado indebido, cuando realmente eso es lo que es, una áspera contienda contra un monstruo que se cree invencible y que no dudará en presentar combate. El tratamiento de quimioterapia es muy duro y severo y a veces parece insoportable.

Somos seres humanos frágiles y vulnerables. Habrá momentos en que queremos tirar la toalla y abandonarlo todo. Momentos en que la mente nos arropa y nos hace creer que no vamos a poder continuar y que tantos martirios no valen la pena. Momentos en que el solo pensar en la próxima quimio, después de haber superado un ciclo, nos hace sentir mal y querer claudicar.

Los días posteriores al tratamiento son muy fuertes. No poder comer, ni siquiera tomar agua y sobrellevar las náuseas y las ganas de vomitar son insufribles. Los olores te abruman. La debilidad te desconsuela y te agota. Surgen de tu inconsciente las palabrotas y los improperios y es muy difícil evitarlos. Hay que pasar por ese proceso para entender lo mal que te sientes.

Sin embargo, son momentos. Son relámpagos esporádicos y circunstanciales que nublan nuestro raciocinio y como dardos cegadores encandilan nuestro entendimiento y tratan de alejarnos de nuestro propósito, de nuestro deseo y de nuestra voluntad y es allí, en esos precisos momentos, cuando tenemos que sacar fuerzas y poderíos, para volver a conectarnos con nuestro espíritu salvador.

Entender que ese es el camino al renacimiento que está por venir y por el cual estamos luchando sin descanso, afrontando cualquier tormenta que quiera desviarnos de nuestro objetivo.

El apoyo de la familia, sin juicios y desconsideraciones, es primordial. Las palabras de amor, aliento y estímulo reconfortan al espíritu y nos sacan del fatalismo al que nuestra mente nos quiere llevar.

Declaremos que sí estamos encaminados hacia la sanación.

Decretemos que sí es posible la restauración.

Afirmemos que sí habrá regeneración.

Proclamemos nuestro florecimiento.

Manifestemos a viva voz nuestra renovación.

Y enunciemos el consecuente renacimiento.

El estar sometido a un tratamiento extremadamente rígido, riguroso y severo, con el fin de reducir el tamaño del tumor o los tumores que tengamos en nuestro organismo, para luego proceder a extirparlos mediante técnicas avanzadas de cirugía y paralelamente evitar, por los medios que se tengan, su propagación a otros órganos (metástasis), es sin lugar a dudas una verdadera y heroica batalla, que los pacientes tenemos inexorablemente que librar y, por tanto, autodefinirnos como aguerridos contendientes, luchadores, batalladores, combatientes, etc., no desvirtúa para nada el significado del tratamiento al que nos estamos sometiendo, al contrario, es reconocerlo como un hostil enemigo al que nosotros esperamos darle el combate que se merece y finalmente salir victoriosos.

Por ende, sí que somos valientes guerreros. Sí que somos valerosos luchadores y sí que somos gallardos combatientes dispuestos a pelear hasta el final.

Esto no es una simple lucha entre la vida y la muerte. No es luchar para no morir, al contrario, es luchar para vivir. Es defender y salvaguardar nuestras inmensas ansias de vivir.

Solo quien camina por el filo de esa bien afilada navaja, de la que hemos hablado anteriormente y que resguarda el fino, frágil y delicado hilo entre la vida y la muerte, sabe apreciar el verdadero sentido de la vida y el auténtico significado de la muerte.

Esta batalla, como me gusta llamarla, porque implica esfuerzo, ganas, voluntad, bravura, no la libramos para perderla y sucumbir derrotados ante un posible "éxito" del monstruo; no, la aceptamos y la combatimos para seguir viviendo, vencer el miedo, seguir creciendo y buscando los momentos felices que la vida nos ofrece a diario y así extender la poderosa obra, que no es más que nuestra existencia, y valorarla es apreciar la belleza de las cosas simples para poder embelesarnos con las vistas que, desde nuestras cotidianas miradas, se nos presentan como comunes y normales, cuando en realidad son el verdadero regalo de la vida.

Es estimar y valorar las cosas más sencillas que quizás, por obvias, dejamos pasar y no prestamos atención, como observar bellos atardeceres, caminar descalzos por la playa, escuchar el trino de los pájaros, beberse una cerveza bien fría o tomarse un whisky en las rocas acompañado de un buen puro.

Con verdadero optimismo y firmemente anclados en nuestra espiritualidad y con la fe inquebrantable de que vamos a enfrentar con hidalguía y resiliencia este difícil proceso, iremos desarrollando poco a poco una capacidad de resistencia y supervivencia nunca imaginadas.

Sabemos científicamente que la energía es una sola y que tiene diversas acepciones, como su "capacidad para obrar, surgir, transformar o poner en movimiento una fuerza, tanto física, mental o espiritual", entendemos también que tiene la facultad de producir cambios en cualquier ámbito de nuestro organismo. Si comprendemos esto, aunque no rechazamos la opinión de que es un tema muy complicado, podemos deducir que las buenas energías, en el ser humano, o sea en nosotros, como el optimismo, la resiliencia, la alegría, el buen humor, la buena actitud, la sana aceptación y la más importante, la fe, podrían ser los propagadores energéticos que nuestras células necesitan, entre otros tipos de energías, para ejecutar sus complejas funciones.

René Descartes decía que "las cosas deben verse con los ojos de la razón y de la lógica formal...", pero en contraposición a ese pensamiento, Pascal decía que "el corazón tiene razones que la razón no comprende...". Algo así como cuando El Principito le decía al zorro que "solo con el corazón se puede ver porque lo esencial es invisible ante los ojos...".

Inobjetablemente, me quedo con Pascal y con El Principito.

Cómo decía, tenemos que borrar de nuestra inquieta mente conductas negativas que solo convergen en frustraciones y decepciones y volvernos hacia nosotros mismos conectándonos con nuestros gustos y aficiones y avocarnos a ellos inmediatamente, ya sea leer, escribir, orar, pintar, etc. Por ejemplo, buscar en Internet informaciones o estadísticas es inútil y dañino.

Cada cáncer es diferente. No hay dos iguales así como no existen respuestas idénticas a cada tratamiento.

Escuchar o ver por las redes a personas que ofrecen remedios y pócimas milagrosas para curar el cáncer es una ingenuidad supina.

Cuando esos pensamientos o conductas que remueven el negativismo irrumpen en nuestra mente, debemos revertirlos inmediatamente cambiando la secuencia del tema que la mente nos presenta y enfocarnos en lo bonito, en lo positivo, en lo alentador, en lo confortable y conectarnos con nuestro ser, con nuestro yo interior, con nuestra alma, e irnos a hacer lo que nos gusta, bien sea escribir, escuchar música, caminar, hacer ejercicios, leer, buscar en la TV programas que nos gusten, bien sea deportivos, de conocimientos, musicales, religiosos, etc.

El asunto está en no dar oportunidad a que la mente nos arrope con sus razones lógicas y sus juicios cautelosos que terminan minando y socavando nuestra autoestima y darle un chance a la certeza de lo que se espera y a la convicción de lo que no se ve, que no es más que a la fe.

Salir a caminar, con las indicaciones médicas oportunas, ir al cine, a la playa, reunirse con familiares y amigos, etc., alimenta nuestro ser interior y nos ayuda a despejar y a airear nuestras ideas.

Hay que cultivar el afecto del entorno. Tenemos que estar conscientes de los cambios físicos y psíquicos que producen, tanto la enfermedad en sí como la quimioterapia. Tenemos que armarnos de paciencia unos y otros dentro del núcleo familiar y apoyarnos mutuamente.

Debemos entender que este proceso, que es es tan difícil para nosotros, lo es también para nuestros seres queridos y a partir de allí expresarnos mutuamente nuestras inquietudes, lo que sentimos y entender que el barco familiar y el avión parental y consanguíneo irá en una misma dirección y con un mismo propósito.

Habrá días en que no queramos levantarnos de la cama ni que nos hablen. Otros en que tendremos lagunas mentales y perderemos el hilo de una conversación o que nos sintamos raros, extraños y queramos estar solos. Días buenos y días malos, como en la vida misma.

Días en que por momentos y muy frecuentemente nuestra mente queda en blanco y nuestra mirada se pierde en la nada, quizás divagando entre ausencias e inexistencias inexplicables y quienes nos observan creerán, con razón, que algo grave estará ocurriendo y se preocuparán y resulta que no pasa nada, es nuestro espíritu que está actuando para mostrarnos que, al quedarnos en blanco, en esa especie de "reseteo" mental, nos estamos relajando y que ese "extravío mental" nos está aportando tranquilidad, distanciamiento y privacidad.

El cáncer no puede tratarse ante el enfermo como un tabú. No se debe especular e ir más allá de los conocimientos que la ciencia tiene de él. Si queremos hablar de eso hablemos, si no, digámoslo y no pasa nada. Si queremos llorar, pues lloremos, si queremos expresar lo que estamos sintiendo, adelante, eso funciona como los sistemas de drenaje, que nos ayudan a minimizar las naturales acumulaciones de juicios y especulaciones que la mente nos presenta, buscando la confrontación interna que quiere desanimarnos y desalentarnos a cada momento.

Existen dos factores que contribuyen a deteriorarnos físicamente y a quebrantarnos espiritualmente. La enfermedad en sí, que es el propio cáncer que nos ataca sin clemencia, y el tratamiento de quimio o radioterapia que parece devastarnos.

La pérdida de peso, la disminución de la masa muscular, la debilidad, la caída del cabello, el menoscabo en las funciones y oficios cotidianos que nos hace parecer torpes y aturdidos, la piel seca, la mirada triste, etc., son la mayoría de las veces reacciones obviamente involuntarias, muy pronunciadas y tremendamente notorias.

Saber que nuestro cuerpo físicamente nos es el mismo. Que nuestras manos y pies son diferentes a cómo eran. Que nuestro color de piel cambia. Que el incesante y amargo sabor a metal en la boca es insufrible. Que los cambios metabólicos de nuestro cuerpo y el debilitamiento de nuestro sistema físico e inmune son inevitables y que poco a poco, como en mi caso, se nos está cayendo el cabello, debe darnos pie para entender que son consecuencias obligatorias y que están ineluctablemente asignadas en el tránsito de nuestro tortuoso proceso.

Se dice que la cara es el espejo del alma, pero en nuestro caso es el reflejo de nuestra circunstancial y transitoria pérdida de la salud. Nadie nos tiene que decir lo que nosotros mismos no veamos ante un espejo.

La gente nos verá diferentes. Sabemos que muchas veces inconscientemente cometen imprudencias y descomedimientos sin querer, pero nada de eso debe afectarnos, porque es parte de la transformación a la que estamos sometidos. Esas manifestaciones no deben sacarnos de nuestro objetivo que no es otro que vencer al monstruo.

Tampoco tenemos que ir, durante el transcurso del tratamiento, dando explicaciones de nuestra evolución. Nosotros tenemos que estar confiados en nuestra sanación y nada ni nadie podrán arrebatarnos las ganas, el tesón, la constancia y las fuerzas, que estamos aplicando para seguir adelante hasta lograrla.

Durante mucho tiempo de nuestro tratamiento queremos estar solos. Es extremadamente placentero conectarnos con nosotros mismos, con nuestra espiritualidad, con nuestras vivencias y recuerdos, con nuestras creencias, con el Ser Superior en el que cada uno creamos, llamémosle, Jesús, Alá, Buda, etc., sabiendo que esos sentimientos y emociones y ese Dios, están ahí con nosotros y no nos abandonarán en estos duros momentos.

Oremos, recemos, alabemos y de algún modo retribuyamos todo lo que hemos recibido, por el sitio donde estamos, porque estamos atendidos y bajo tratamiento, porque tenemos una familia y unos amigos solidarios y dispuestos a escucharnos, a apoyarnos y a sobrellevar la carga que el destino dispuso para nosotros y principalmente y sobre todo agradezcamos a cada instante y en todo momento el hecho de que estamos vivos, prestos a seguir viviendo, valorando y reverenciando la vida y que estamos en manos de una medicina responsable y profesional que va de la mano con nosotros y que en cualquier momento, por su tesón, por su empeño, por su constancia y por sus estudios y conocimientos, encontrará la ansiada cura para esta terrible enfermedad.

Mientras, apoyémonos en la actitud positiva e incondicional de nuestros familiares y seres queridos y en la nuestra propia.

Aferrémonos a nuestras querencias. Busquemos instantes vividos y hermosos en nuestros recuerdos y juguemos con ellos en nuestro momentos más difíciles.

Es allí, en esos ratos de soledad necesaria, cuando más nos sentimos acompañados de las ausencias imperecederas que marcaron nuestras vidas y que saben, en silencio, acompañar nuestras soledades, porque al confiar y creer que están allí y al sentir sus presencias nos reafirmamos y nos convencemos más aún de que esos amores grandes y puros serán eternos y sobrevivirán y sobrepasarán cualquier conocimiento científico que pretenda contrarrestarlos y desmentirlos.

El amor inconmensurable e infinito de una madre o un padre hacia sus hijos, de unos abuelos, de unos hermanos, de unos amigos verdaderos, no puede cortarse de cuajo con la muerte. No puede acabar como si nunca hubiera existido. No puede quedarse allí en la nada. Los sentimientos son manifestaciones energéticas y, por tanto, no se destruyen, solo se transforman. De no ser así, la vida, esa por la cual estamos dando el todo por el todo, no tendría ningún sentido.

Como vengo diciendo, esta lucha no es contra la enfermedad que padecemos. La lucha es contra nuestra propia mente. Hay dos rivales enfrentados entre sí y encarados dentro de nosotros. Nuestra mente, que exagera los síntomas y crea sospechas nuevas, y nuestro espíritu que nos anima y reconforta.

La mente nunca se conformará con los diagnósticos médicos, tratará de ir más allá y los rebatirá y refutará con empeño y obstinación. Aparentará no creer en nada ni en nadie y provocará confrontamientos en nosotros mismos.

Para curarnos, primero tenemos que saber interpretar las señales que la propia enfermedad, en este caso el cáncer, nos manifiesta y que variará dependiendo de cómo las procesemos. Por ejemplo, si nos sentimos débiles físicamente, debemos fortalecernos espiritualmente, ¿pero cómo...? Pues, como manifesté anteriormente, conectándonos con esa deidad muy individual, particular e intima en la que creemos, darnos ánimo, pensar en positivo, no bajar la guardia, dar la pelea sabiendo que vamos a ganar. Eso reforzará nuestra fe y nuestro espíritu y por ende redundará en nuestro estado físico. Si por el contrario nos sentimos débiles espiritualmente, hay inexorablemente que estimular nuestro estado físico y ponernos en movimiento en la medida que podamos.

Si le pedimos al universo y a su rector que nos toque, que nos sane, y que nos libere de nuestro padecimiento con la fe que esta sentencia requiere y exige y rogamos que nos dé la fuerza necesaria para enfrentarlo y combatirlo, nuestro clamor, sin duda alguna, será escuchado y concedido en la medida que creamos que así será. Pidamos auxilio, porque estamos sumidos en un mar de incertidumbres, vacilaciones e inseguridades, pero también rememos para poder llegar a la orilla.

Si nos esforzamos y logramos equilibrar esa pugna recurrente entre mente y espíritu, entre cerebro y corazón, veremos como la ansiada y buscada paz, armonía física, mental y emocional se hará presente en la cotidianidad de nuestro ser y comenzará, entonces, nuestro maravilloso y extraordinario renacer.

Las palabras y los sentimientos que nacen del corazón siempre amordazarán a la lógica y a la exagerada prudencia de la testaruda y obstinada mente.

A medida que la carga que tengamos que soportar sobre nuestros hombros sea más pesada, más nos indica, aunque no lo hubiésemos creído, cuál es el peso que somos capaces de soportar.

Si solo pensamos en lo que pudiera haber sido o en lo que pudiera ser, nos estaríamos atormentando de antemano.

El simple hecho de distraer conscientemente ese pensamiento hacia lo que estamos viviendo hoy, hacia nuestras querencias y afectos, bloqueará esa preocupación y nos dará la convicción de que lo que no ha sido no tiene por qué ser...

La mente, como hemos dicho, crea películas que muchas veces condicionan la realidad y, cuando caemos en cuenta de ello, de que esa película fantasiosa, caprichosa y hasta ilusa es irreal, nos decepcionamos y la frustración que eso nos genera nos hace perder el rumbo alejándonos de la efectividad que queremos y debemos tener para alcanzar nuestro objetivos. La verdad siempre se nos revelará a través de nuestros sentimientos y nuestro enfoque positivo, insisto en ello.

Así que, asumamos nuestra realidad, actuemos en consecuencia y responsablemente y veremos que más temprano que tarde, arropados en nuestra inquebrantable fe y procediendo con empeño y determinación, haciendo lo que nos toca, llegarán los resultados esperados. Esto no solo debe aplicarse en nuestro caso, significa sobreponerlo y adaptarlo a cualquier situación comprometida que la vida circunstancialmente nos imponga.

61

La primera sesión o el primer ciclo de quimioterapias fue realmente despiadado. Sencillamente me hizo polvo. Nunca se está preparado, por más que leas, oigas o te aconsejen, para tamaño revolcón. Es como subirse a un ring de boxeo, sin saber pelear, con los ojos vendados y con las manos atadas a enfrentarse a Mike Tyson. El tipo te va a dar con todo sin compasión alguna, pero uno sabe que tiene que aguantar, que debe resistir porque ese es apenas el primer round, quedan doce y puedes sorprenderlo cansado y darle una sorpresa.

Si tienes la fe y la convicción de que, al final, vas a ganar esa pelea, solo enfócate en sobrellevar aquello y procurar no caer noqueado, porque la pelea apenas comienza y ese es el camino a recorrer para vencer y salir victorioso.

Debemos recordar siempre que el universo, con toda la grandeza que la palabra implica, también está dentro de nosotros.

El Universo lo es todo, lo abarca todo. Sintámoslo así, somos parte de él y él es parte nosotros. No somos ni siquiera una millonésima parte de un gramo de arena delante de su inmensidad. Es infinito, es eterno y por tanto no se detendrá porque estemos enfermos, deprimidos, desahuciados, porque seamos infelices o porque ya no pertenezcamos a este plano. La vida es un constante fluir y no somos imprescindibles, nadie los es.

Nada de lo que poseemos cabe en un insignificante cajón de madera que, bajo tierra, al rato se pudrirá. Vivamos el tiempo que nos quede con salud o sin ella, como si hoy fuese el último día de nuestra efímera existencia, aprendiendo de lo bueno y desechando lo malo.

Procuremos dejar atrás las frustraciones, los desencuentros, las decepciones, las inevitables pérdidas y los fracasos.

Tratemos de quedarnos con los buenos ratos, las metas cumplidas, los pequeños y grandes logros, las satisfacciones, las alegrías y las ganas de seguir viviendo.

Pensar de esa manera es encasillarnos únicamente entre blanco o negro, frío o calor y bueno o malo, dejando a un lado los matices, los visos, las tonalidades y las gamas, que son en definitiva el aderezo de la vida y en buena parte lo que la inspira y la sostiene.

¿Por qué catalogar lo vivido en bueno o malo?

Si lo verdaderamente importante es eso, que lo vivimos, lo recorrimos, lo sufrimos, lo gozamos, nos caímos, nos levantamos, aprendimos y nos dimos cuenta que nada es pa' tanto, porque en líneas generales, y en definitiva, tenemos que vivir la vida como se nos presente y agradecer la lucidez y la disposición a enmendar errores, corregir y sortear adversidades y continuar en la lucha diaria...

Eso se llama actitud y esa actitud depende, en gran medida, de la paz y la armonía interna que tengamos.

La vida siempre será intermitente, impermanente, discontinua y desigual y partiendo de ello, hay que seguir adelante y vivir el día a día sin crearnos falsas expectativas, con las herramientas y los medios que tenemos.

No paremos.

Reinventémonos.

Adaptémonos, que no es lo mismo que conformarnos, y vivamos.

Cada quien tiene sus circunstancias y sus particularidades y estas no son ni más ni menos complejas y dificultosas que las de otros. Simplemente son diferentes y únicas.

La paz y la armonía, en todos los aspectos de nuestras vidas, deben anteceder a la felicidad, porque la felicidad está compuesta de momentos, de ratos, de instantes, que pueden transformarse en periodos o etapas, pero que nunca serán constantes ni sostenidas en el tiempo, que es como un reloj de arena que se agota y precisamente esos momentos y esos lapsos son los que hay que disfrutar a plenitud, estirarlos lo más que podamos, aprender de ellos para que, en paz y armonía, aprendamos a seguir buscando y construyendo el camino que nos llevará a tener más momentos de felicidad y bienestar. Siempre estamos a tiempo de poner ese estilo de vida en práctica, en la circunstancia que sea.

La inconformidad crónica es nuestro peor enemigo.

El pesimismo habitual y continuado es letal.

El desánimo endémico es destructivo y nos conduce a largos periodos de depresión.

El "cruzar el puente antes de llegar", es perjudicial, desgastante e inútil.

Cuando damos una pasada por las redes sociales, creemos que formamos parte del grupo de los que les va mal en la vida, de los perdedores, de los desafortunados, de los feos, de los infelices, de los gordos, de los fracasados, etc. Todo por una simple y banal disposición, muchas veces natural, de querer compararnos con los demás.

Olvidamos o no tomamos en cuenta que nadie quiere salir desaliñado en una fotografía y que nadie quiere tener de fondo un basurero.

Que nadie quiere estar triste o salir llorando en un video. Que todos metemos la panza o disimulamos algún defecto para quedar bien e impresionar. Y eso no significa que seamos felices ni que estemos en la cima del éxito. Simplemente es captar un momento de alegría, de tranquilidad, de sentirnos bien y plasmarlo en una red. Esa no es nuestra cotidianidad ni nuestro estado natural.

Tampoco quiere decir que seamos exitosos ni que estemos plenamente satisfechos con nuestras vidas, aún cuando muchos lo vean así y se lo crean. Simplemente son instantes que duran lo que tarda en sonar el "click" de la cámara del móvil.

Luego de eso, la vida sigue, continúa y no se detiene.

Las *selfies* y las poses no son la realidad.

No podemos creer todo lo que vemos en las redes y darle veracidad, cuando la realidad es que nadie es eternamente feliz, ni nadie es eternamente desgraciado. Hay picos y coyunturas. Momentos buenos y no tan buenos.

El éxito y fracaso son efímeros y momentáneos. El modo como los manejemos es lo que los hace más o menos perdurables.

Todos somos iguales, pero la igualdad tiene márgenes muy amplios y el hecho de que unos tienen más dinero, mas estabilidad emocional o financiera que otros, o más paz y armonía en sus vidas, son parte de esas circunstancias que son variables, por tanto reversibles y alterables y por ende manejables. La consecución de la paz y la armonía debe ser nuestra meta. Todo lo demás llegará por añadidura.

Compararnos con lo demás para luego menospreciarnos subestimándonos a nosotros mismos es el mayor de los despropósitos.

No nos comparemos con nada ni con nadie, aún en la enfermedad.

No nos minimicemos ante situaciones que en un principio y vistas desde adentro parecen abrumadoras.

Si queremos que todo cambie o que cambien las circunstancias, cambiemos nuestra actitud.

Si queremos que todo mejore o que mejoren las circunstancias, empecemos por mejorar nosotros. Nunca es tarde.

Si queremos que nuestra vida cambie de dirección, demos un golpe de timón y con valentía cambiemos el rumbo.

Somos nosotros y nuestras circunstancias y son ellas las que nos obligan a accionar y reaccionar de determinada manera.

La paz, la armonía interna, la esperanza, la ilusión y la fe son claves para procurar momentos felices.

Búscalas en tu yo interior, cuando las consigas cultívalas y cuando comiences a cosechar sus maravillosos frutos, proyéctalos...

Entre muchas otras cosas, la vida es demasiado bella, demasiado intensa, demasiado variable y demasiado frágil... Ah, y demasiado corta.

En mi caso, los efectos inmediatos y secundarios de la quimioterapia han sido las nauseas, los dolores musculares, la falta total
de apetito, el repudio a cualquier olor que prevalezca y predo-
mine en el ambiente, el sentir que al beber, lo que sea, se inflama
algo a los lados de la lengua, en el maxilar y en la laringe, el
dolor de cabeza, el no querer pararme de la cama porque no
tenía fuerzas para hacerlo, el desagradable e indescriptible sabor a plomo u óxido en la boca, el no tener voluntad de nada,
el rechazo a la luz que encandila, el observar impotente la caída
parcial del cabello, las lagunas mentales que van y vienen, el
quedarme por momentos absorto y en la nada, mirando sin ver
y oyendo sin escuchar, el sentir a ratos que no coordinaba los
pensamientos con la voz y la lengua y esta se confunde, se re-
trasa y se enreda, el pensar en el saco de huesos y flácidos mús-
culos en lo que me había convertido, el observar cómo había
rebajado dos y hasta tres tallas de ropa y alguna otra secuela
y otros resultados del fortísimo tratamiento que puedan pasár-
seme por alto, es verdaderamente preocupante y sobrecogedor.

Pero aun así y a sabiendas de que quedan muchas sesiones
por delante, hay que esperar pacientemente y con muchas

expectativas el día de la próxima y estar dispuesto y preparado para volver a pasar por semejante zarandeo y seguir adelante, porque ese es el camino.

Te das cuenta de lo perfecto que es nuestro cuerpo cuando al segundo o tercer día posterior a la quimioterapia, el organismo comienza a recuperarse y a recobrar lenta pero efectivamente la funcionabilidad que creíamos perdida y reconforta saber que es así.

A medida que pasan los días y las quimios adviertes que, aunque siguen siendo duras y muy fuertes, las secuelas son cada vez un tanto menos intensas. Debe ser que nuestro cuerpo se blinda, se adapta y se refuerza automáticamente.

En dos oportunidades perdí las sesiones por tener mis defensas muy bajas. El día acordado para el tratamiento de quimio te hacen una analítica para ver cómo están los valores en tu sangre y si tu cuerpo es capaz de resistirlo.

Cuando eso sucede, que es muy normal ya que la quimio mata células malas y buenas por igual, te mandan a casa con un tratamiento que hace que la médula ósea produzca más glóbulos blancos, ya que una reducción de estos conlleva a que el cuerpo sea menos eficaz a la hora de combatir infecciones. Esto se denomina neutropenia. Te recetan unas inyecciones diarias que uno mismo aprende a colocárselas en el abdomen y generalmente con este tratamiento suben las defensas y se está preparado para el próximo ciclo de quimioterapia.

Los siguientes ciclos de quimioterapia se convierten en rutina. Unas veces más y otras menos vas adaptándote a ellos. Vas conociendo personas que están en la misma lucha y siempre conocerás gente que se encuentra en peores condiciones.

En el hospital conocí a una chica joven, de unos treinta años aproximadamente y que padecía un cáncer de seno.

Ya se le había caído el cabello y sus quimioterapias era semanales. Vivía con su esposo y una niña pequeña de cinco años.

Me complacía encontrármela en el hospital, ya que venía de mi país, donde es casi imposible hacerse un tratamiento avanzado y constante y porque en España estaba recibiendo la atención y el tratamiento requerido. Era inspirador ver cómo, a pesar de su edad y de las condiciones en que estaba viviendo, por ser inmigrante con muy corta estadía en España, asistía a sus ciclos de quimio resistiendo con un estoicismo ejemplar los embates del tratamiento.

A veces se le inflamaban las manos y el área del pecho donde tenía colocado el reservorio, pero ella seguía apostando por la vida y enfocada en su batalla contra la perniciosa enfermedad que la atacaba.

Más allá, en otra camilla, en algunos ciclos, coincidía con un señor como de setenta y pico, que se colocaba unos audífonos y, mientras el horrible liquido sanador se esparcía lentamente por sus venas, él impasiblemente y con temblorosa voz tarareaba una canción. Nos mirábamos continuamente y con nuestros ojos, porque debíamos tener siempre un tapabocas, hablábamos y claramente nos comunicábamos dándonos mensajes de comprensión y afecto.

No había gestos de lástima ni de dolor, solo expresiones imperceptibles para el común de la gente que entraba y salía de la sala, de fraternidad, de adhesión y de solidaridad. No hacían falta las palabras. Las miradas conversaban sin hablar y solo nosotros, los pacientes de cáncer, entendíamos ese prodigioso, tácito y selecto idioma.

Todos los que allí estamos, tenemos el mismo objetivo y el mismo propósito, sanar, liberarnos del monstruo perverso y celebrar el renacimiento y la vida.

Luego de 6 ciclos de quimioterapias, me realizaron un TAC (Tomografía Axial Computarizada), cuyo resultado me lo informarían en el ciclo N.º 7.

Con ese TAC, la Junta Medica evaluará la evolución del cáncer y dependiendo de lo que ese examen arroje, se trazarán nuevas estrategias y nuevos tratamientos para seguir combatiéndolo y poder domar al monstruo que se cree imbatible.

Y llegó el esperado día del 7.º ciclo de quimioterapia y el diagnóstico del TAC. Sin mayores expectativas, con mucha fe, pero con los pies bien puestos en la tierra, asistí con mi esposa a mi cita. El doctor a simple vista me encontró muy bien. Me notificó que había buenas noticias y que los resultados del TAC eran muy alentadores. Los tumores y las lesiones (metástasis) se estaban reduciendo en tamaño significativamente.

No podía creer lo que el doctor me estaba diciendo. Un abanico de esperanzas se abría en mi corazón y un sentimiento de agradecimiento y satisfacción, se derramaba como agua pura y fresca por todo mi cuerpo. Comenzaba a sentirme limpio y depurado. Sabía que esto era una primera etapa del tratamiento, pero me complacía haber llegado hasta allí y haber hecho mi parte, lo que me correspondía.

El diagnóstico no podía ser más alentador. Aquella cruda "sentencia de muerte" que sentí cuando me diagnosticaron el cáncer tenía unas letras pequeñitas que no había leído. En ese momento sentí que la vida me estaba dando otra oportunidad y tenía que aprovecharla y asirme fuertemente a ella.

El informe médico decía, palabras más palabras menos, que el tumor de 5 cm se había reducido a 2,5 cm y el implante tumoral adyacente de 4 cm presentaba menor tamaño entre 0,9 x 0,5 cm. Que las adenopatías retroperitoneales e ilíacas (en ganglios) presentes en TAC anterior, eran actualmente imperceptibles. Que había una reducción significativa de tamaño de la metástasis hepática y que había una mejoría radiológica en la alteración de grasa presacra.

En conclusión, que había una "reducción generalizada de la tumoración recto-sigmoidea, así como de la afectación metastásica y ganglionar".

Sentía que había valido la pena pasar por tanto ya que en algún desdichado momento en que la mente intenta tomar el control y colocarme en su cruda realidad, llegué a pensar que si no existían mejoras o si mi cáncer estaba expandiéndose o propagándose más aún, abandonaría la quimioterapia y esperaría lo que tuviese que esperar.

Doy infinitas gracias al Dios en el que creo y en el que decanto y vierto todas mis esperanzas, a mi actitud siempre positiva y optimista, al humor con el que sobrellevo todas mis experiencias de vida, a mi cable a tierra que, como la cuerda de un papagayo, no permite que el vuelo se enmarañe y me genere falsas expectativas, al apoyo incondicional de mi esposa, de mis hijos, de mis hermanos de sangre, de mis familiares y de mis amigos, algunos de ellos hermanos de vida, a las palabras de aliento de los que realmente me conocen, a quienes desinteresadamente me incluyen en sus cadenas de oraciones, a mis médicos y al personal de enfermería que, con verdadero profesionalismo y amor a su profesión, me atienden como un ser humano enfermo se lo merece, a la seguridad social de este hermoso país (España) que nos acoge y nos abriga incondicionalmente y sobre todo a mi inmensa e inquebrantable fe, que me enseña el camino para poder diferenciar y anteponer el espíritu, el alma, el ser y la esencia de lo que soy, ante una mente que te alerta y te condiciona, pero que con su lógica y su razonamiento especulativo no nos permite, la mayor de las veces, conectarnos con la esperanza, la ilusión y la convicción de que podemos superar los incidentes e imprevistos que se nos presenten.

Estos extraordinarios resultados, no implican de ninguna manera que hay que bajar la guardia y atenuar o aminorar el tratamiento, al contrario, queda mucho camino por recorrer, pero sé, en lo más profundo de mi corazón, que sí se puede y que tengo el aliento, la voluntad, la fuerza y la fe suficientes para seguir adelante y saber, presentir e intuir que estoy en la ruta correcta de poder definitivamente domar al monstruo que hoy se retuerce y se resiste, por razones obvias, en mis entrañas...

Cierro con este hermoso y alentador texto bíblico:

"No considero haber llegado ya a la meta, pero esto sí es lo que hago; me olvido del pasado y me esfuerzo por alcanzar lo que está adelante. Sigo hacia la meta para ganar el premio que Dios me ofreció cuando me llamó por medio de Jesucristo..." Filipenses 3:14.

FIN

Este testimonio de vida continuará...

Made in United States
Orlando, FL
02 March 2024

44325693R00050